在会见第一届全国文明家庭代表时的讲话

（2016年12月12日）

习　近　平

人　民　出　版　社

在会见第一届全国文明家庭代表时的讲话

（2016 年 12 月 12 日）

习　近　平

同志们：

大家好！很高兴同大家在这里见面。你们当中有全国优秀共产党员、全国劳动模范、全国道德模范等先进典型，很多是来自城乡基层的普通家庭代表。你们以自己的模范行为，同家庭成员一起，弘扬和践行社会主义核心价值观，温暖了人心，诠释了文明，传播了正能量，为全社会树立了榜样，都是好样的！

在这里，我代表党中央，向受到表彰的第一届全国文明家庭，表示热烈的祝贺！向工作在精神文明建设一线的同志们，致以诚挚的问候！

中华民族历来重视家庭。正所谓“天下之本在家”。尊老爱幼、妻贤夫安，母慈子孝、兄友弟恭，耕读传家、勤俭持家，知书达礼、遵纪守法，家和万事兴等中华民族传统家庭美德，铭记在中国人的心灵中，融入中国人的血脉中，是支撑中华民族生生不息、薪火相传的重要精神力量，是家庭文明建设的宝贵精神财富。

随着我国改革开放不断深入，随着我国经济社会发展不断推进，随着我国人民生活水平不断提高，城乡家庭的结构和生活方式发生了新变化。但是，无论时代如何变化，无论经济社会如何发展，对一个社会来说，家庭的生活依托都不可替代，家庭的社会功能都不可替代，家庭的文明作用都不可替代。无论过去、现在还是将来，绝大多数人都生活在家庭之中。我们要重视家庭文明建设，努力使千千万万个家庭成为国家发展、民族进步、社会和谐的重要基点，成为人们梦想启航的地方。这里，我给大家提几点希望。

第一，希望大家注重家庭。家庭是社会的细胞。家庭和睦则社会安定，家庭幸福则社会祥和，家庭文明则社会文明。历史和现实告诉我们，家庭的前途命运同国家和民族的前途命运紧密相连。我们要认识到，千家万户都好，国家才能好，民族才能好。国家富强，民族复兴，人民幸福，不是抽象的，最终要体现在千千万万个家庭都幸福美满上，体现在亿万人民生活不断改善上。同时，我们还要认识到，国家好，民族好，家庭才能好。当前，全党全国各族人民正在实现“两个一百年”奋斗目标、实现中华民族伟大复兴中国梦的新长征路上砥砺前行。只有实现中华民族伟大复兴的中国梦，家庭梦才能梦想成真。中国人历来讲求精忠报国，革命战争年代母亲教儿打东洋、妻子送郎上战场，社会主义建设时期先大家后小家、为大家舍小家，都体现着向上的家庭追求，体现着高尚的家国情怀。

广大家庭都要把爱家和爱国统一起来，把实

现家庭梦融入民族梦之中，心往一处想，劲往一处使，用我们4亿多家庭、13亿多人民的智慧和热情汇聚起实现“两个一百年”奋斗目标、实现中华民族伟大复兴中国梦的磅礴力量。

第二，希望大家注重家教。家庭是人生的第一个课堂，父母是孩子的第一任老师。孩子们从牙牙学语起就开始接受家教，有什么样的家教，就有什么样的人。家庭教育涉及很多方面，但最重要的是品德教育，是如何做人的教育。也就是古人说的“爱子，教之以义方”，“爱之不以道，适所以害之也”。青少年是家庭的未来和希望，更是国家的未来和希望。古人都知道，养不教，父之过。家长应该担负起教育后代的责任。家长特别是父母对子女的影响很大，往往可以影响一个人的一生。中国古代流传下来的孟母三迁、岳母刺字、画荻教子讲的就是这样的故事。我从小就看我妈妈给我买的小人书《岳飞传》，有十几本，其中一本就是讲“岳母刺字”，精忠报国在我脑海中留下的印象很深。作为父母和家长，应该把美好的道德观念从小就传递给孩子，引导他们有做人的气节和骨气，帮助他们形成美好心灵，促使他们健康成长，长大后成为对国家和人民有用的人。

广大家庭都要重言传、重身教，教知识、育品德，身体力行、耳濡目染，帮助孩子扣好人生的第一粒扣子，迈好人生的第一个台阶。要在家庭中培育和践行社会主义核心价值观，引导家庭成员特别是下一代热爱党、热爱祖国、热爱人民、热爱中华民族。要积极传播中华民族传统美德，传递尊老爱幼、男女平等、夫妻和睦、勤俭持家、邻里团结的观念，倡导忠诚、责任、亲情、学习、公益的理念，推动人们在为家庭谋幸福、为他人送温暖、为社会作贡献的过程中提高精神境界、培育文明风尚。

第三，希望大家注重家风。家风是社会风气的重要组成部分。家庭不只是人们身体的住处，更是人们心灵的归宿。家风好，就能家道兴盛、和顺美满；家风差，难免殃及子孙、贻害社会，正所谓"积善之家，必有余庆；积不善之家，必有余殃"。

诸葛亮诫子格言、颜氏家训、朱子家训等,都是在倡导一种家风。毛泽东、周恩来、朱德同志等老一辈革命家都高度重视家风。我看了很多革命烈士留给子女的遗言,谆谆嘱托,殷殷希望,十分感人。

广大家庭都要弘扬优良家风,以千千万万家庭的好家风支撑起全社会的好风气。特别是各级领导干部要带头抓好家风。《礼记 · 大学》中说:“所谓治国必先齐其家者,其家不可教而能教人者,无之。”领导干部的家风,不仅关系自己的家庭,而且关系党风政风。各级领导干部特别是高级干部要继承和弘扬中华优秀传统文化,继承和弘扬革命前辈的红色家风,向焦裕禄、谷文昌、杨善洲等同志学习,做家风建设的表率,把修身、齐家落到实处。各级领导干部要保持高尚道德情操和健康生活情趣,严格要求亲属子女,过好亲情关,教育他们树立遵纪守法、艰苦朴素、自食其力的良好观念,明白见利忘义、贪赃枉法都是不道德的事情,要为全社会做表率。

今天受到表彰的家庭,要珍惜荣誉、再接再

厉,带动全国千千万万个家庭行动起来,共同为促进家庭和睦、亲人相爱、下一代健康成长、老年人老有所养而努力,共同为提高全社会文明程度而努力。

各级党委和政府要充分认识家庭文明建设的重要性,负起领导责任,切实把家庭文明建设摆上议事日程。工会、共青团、妇联等群众团体要结合自身特点,积极组织开展家庭文明建设活动。各方面要满腔热情关心和帮助生活困难的家庭,帮助他们排忧解难。精神文明建设工作部门要发挥统筹、协调、指导、督促作用,动员社会各界广泛参与,推动形成爱国爱家、相亲相爱、向上向善、共建共享的社会主义家庭文明新风尚。

最后,祝愿大家工作顺利、身体健康、阖家幸福!

图书在版编目(CIP)数据

在会见第一届全国文明家庭代表时的讲话/习近平 著. —北京：
人民出版社,2016.12
ISBN 978 - 7 - 01 - 017270 - 5

Ⅰ.①在…　Ⅱ.①习…　Ⅲ.①习近平-讲话-学习参考资料
②家庭-精神文明建设-中国-学习参考资料　Ⅳ.①D2-0
②D649

中国版本图书馆 CIP 数据核字(2016)第 324145 号

(RMC - ZJDXI - 047 - 20161212)

在会见第一届全国文明家庭代表时的讲话

ZAI HUIJIAN DIYIJIE QUANGUO WENMING JIATING
DAIBIAO SHI DE JIANGHUA

(2016 年 12 月 12 日)

习　近　平

人民出版社 出版发行
(100706　北京市东城区隆福寺街 99 号)

北京新华印刷有限公司印刷　新华书店经销

2016 年 12 月第 1 版　2016 年 12 月北京第 1 次印刷
开本:880 毫米×1230 毫米 1/32　印张:0.5
字数:15 千字

ISBN 978 - 7 - 01 - 017270 - 5　定价:1.70 元

邮购地址 100706　北京市东城区隆福寺街 99 号
人民东方图书销售中心　电话 (010)65250042　65289539

